PRAY
ORIGIN
프레이 오리진

나이트런 프레이 오리진 ┃1

2022년 2월 10일 초판 1쇄 발행

원 작 김성민
편 집 이열치매, 최지혜
마케팅 이수빈
▬
펴낸이 원종우
펴낸곳 블루픽
주소 경기도 과천시 뒷골로 26, 2층
전화 02 6447 9000
팩스 02 3667 2655
메일 edit01@imageframe.kr
웹 http://imageframe.kr
▬
ISBN 979-11-6769-067-8 07810
　　　　979-11-6769-066-1 (세트)
정가 14,800원

PRAY
ORIGIN
프레이 오리진

1

CONTENTS

Part 1. 기사(Knight) 5

Part 2. 사람이 사는 땅 39

Part 3. 만나고 싶은 사람 93

Part 4. 두 사람의 싸움 121

Part 5. 내 머리를 쓰다듬어 주던 손 147

Part 6. 답답함 177

Part 7. 은퇴 203

Part 8. 과거의 영웅 225

Part 9. 전우, 인형, 제자, 그리고… 255

part 1

우주력 430년.
행성을 오가며 개척하는 시대…

인간은 괴수와 싸우고 있다.

그리고

여왕괴수에 의해 침식된 행성은
오직 인간을 죽이는 것이 목적인 괴수를
생산해 쏘아 올리는 생체 공장,
즉 둥지가 된다.

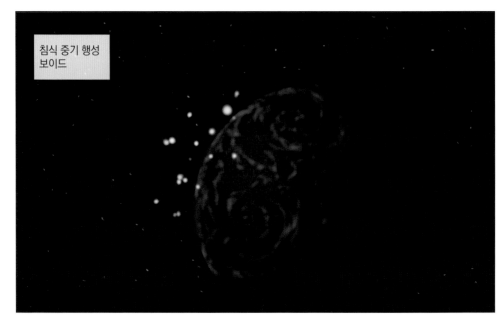

침식 중기 행성
보이드

이 무리만 섬멸하면 대충 우주는 정리됩니다.

남은 건 지상인데… 일반 부대로는 손쓸 수 없는 상위괴수가 꽤 남았지만 이에 대응할 기사단 병력이 없습니다.

최상위 유닛 영식(零式) 하나 잡는데 기사 다섯이 죽고 열여섯이 중경상을 입었습니다.

욱, 그렇게 많이 당했나… 기사단에서 클레임 들어오겠군.

싫거든요.

시말서는 네가 써라.

'블루링'이었나?
그 괴물 같은 놈에게
병력 5000명과 우주군
정예 8함대, 지상군 2개
사단이 다 잡혔으니…

무엇보다
투입된 기사 전원이
전투불능이 된 게
치명적이군.

마스터나이트인
레오 씨도 부상을
당했을 정도니 상당한
강적이었습니다.

그래.
하지만 놈도 잡았고
이제 남은 건 상위괴수
7형이나 15형 7기 정도니
둥지 주위에 맨틀버스터
20방 정도만 더 박아 주면
여왕괴수의 침식은
막을 수 있을 거야.

문제는 시간입니다.
여왕을 잡는 게 더 늦어지면
이 행성의 재건이 가능할지
아무도 확신할 수 없습니다.

그렇지…

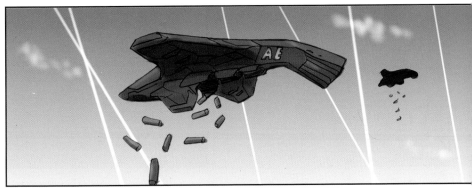

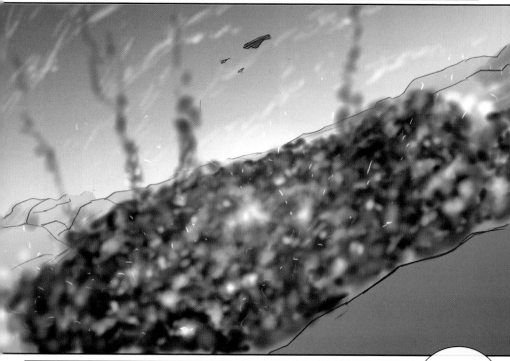

제61 괴수
플랜트 소멸.
순조롭네요.

이 행성은
폐기까지는
안 갈지도
모르겠어요.

다만 앞으로
사람이 살 수
있을지는…

개척 초기라 테라포밍도 아직 완전하지 않아요.

안 그래도 대기조성 때문에 입 안의 보조기 없이는 숨쉬기조차 힘들어. 이런 나한테 괴수와 싸우라니…

싸울 수 있는 기사가 없어요. 저도 이 꼴이고…

그렇다고 나 같은 퇴물한테 AB소드를 쥐여준들 별 수 없을 텐데… 나 검 잡아본 지도 오래됐다고.

마이어 씨 당신이니까요. 믿지 못했다면 제 검을 맡기지도 않았을 거예요.

과대평가야 레오. 부담감으로 위가 아프다.

행성 주민들은 당분간 이 기지에 수용한다지?

예. 아린으로 이주계획을 세웠지만 아무도 이 행성을 떠나려고 하지 않아요.

이곳을 겨우 살만한 곳으로 만든 사람들이니 떠나기가 쉽지 않겠죠.

고향을 버릴 수는 없다는 건가...

제길 !

그렇게 거주구는 포기하라고 했는데 왜 자꾸 기어나가서 다치는 거야 여기 사람들은...

응급처치는 했는데 출혈이 안 멈춰!! 닥터! 어떻게 좀 해 봐!!

호들갑 떨지 말고 이쪽에 맡겨요!

불평해도 결국 하실 거죠?

혈액형 체크하고 수혈팩 가져와!!

이런 풍경...

보고 싶지 않을 테니까...

...

와~!!

아빠 저기 봐. 저 사람 칼 들고 있어.

봐봐!! 기사님이야 기사님!!

기사님 화이팅!!! 우리 엄마도 괴수랑 싸우고 있어요!!!

힘내서 이 별이랑 우리 엄마를 지켜 주세요!!!!

프레이 씨…
군요.

그래.

이번 보이드 사태까지
마무리되면 내가 북부
기사단에 파견된 대부분의
이유를 해결하게 돼.

위원회와의
사법거래로 녀석의
연금도 풀어줄 수
있을 거야.

역시 공에는
관심 없는 당신이
이번 전투를 빨리
끝내려고 뛰어다닌
이유는…

절차적으로도

심적으로도

이제 중앙에
돌아가면 만날 수
있을 것 같아.

보행전차의
대실드용 탄도
거의 바닥입니다!

그 실험부대인지 뭔지
지원 요청한 지가
언젠데…

곧 도착한답니다!
조금만 더…

퉁

단숨에 뚫고
들어간다!!

공중폭격에
대비해 수트
방어력 최대로!!

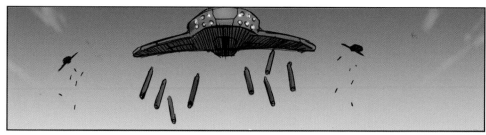

중형 테디베어는
이걸로 실드가 거의
깨졌어! 화력을 집중해
단숨에 섬멸한다!!

여기만 뚫으면
루트 D가 완성된다!!
물러서지 마!!

?!

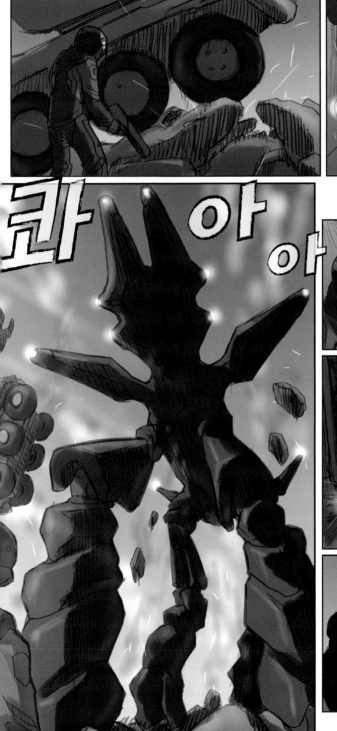

…워킹
쉬림프…

으 직

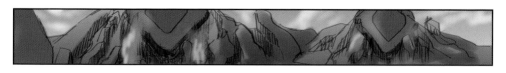

워킹쉬림프 3기 출현!!
대공방어 유닛이다!!
공중 병력은 당장 후퇴해!!!!

제길!!
놈들은 등 쪽에만
실드가 집중되어 있어.
다리를 노려!!!

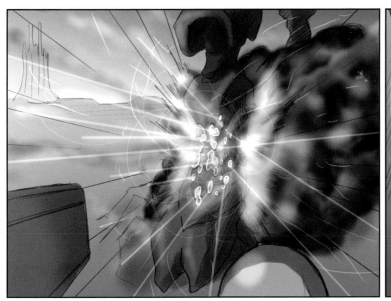

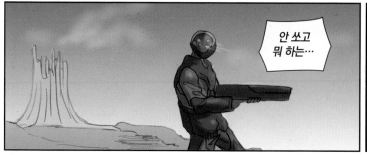

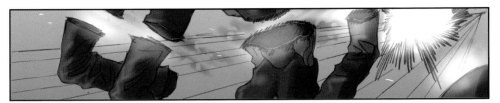

상위괴수.

플랜트에서 생산되는
양산형 괴수와 달리
이들은 여왕 둥지의
대리자궁에서 태어난다.
노심이란 동력원을 이용한
경이로운 방어력과
기동성을 가진 이 개체는…

'강함'
이 한마디로 정의된다.

킹

콰

직

5형?! 후퇴해!
본대에 합류한다!

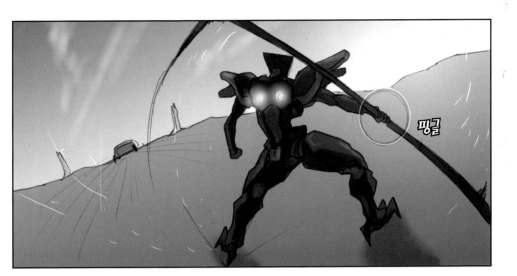

핑글

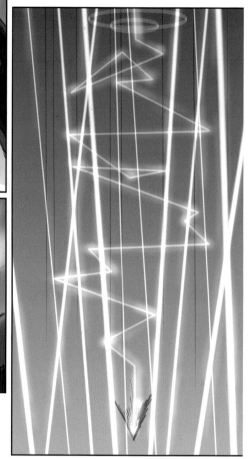

두 두 두 두

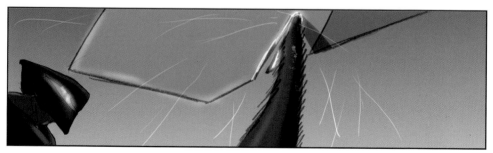

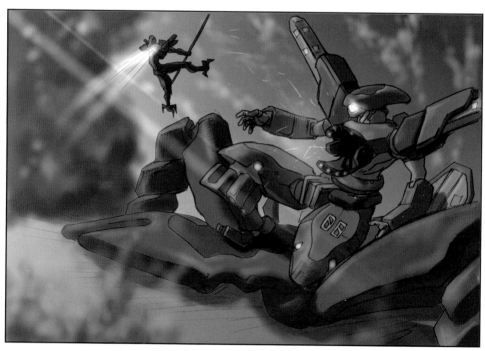

촤아악

모시게 되어 영광입니다. 행운을 빕니다.

살아서 보자고.

세모난 머리… 너지? 기사 아덴을 죽인 게.

일반 병기가 거의 통하지 않는 상위괴수를 상대하기 위해
기사단의 총수 마더나이트가 만든 배리어를 소멸시키는 AB소드.

그리고 그 검을 사용하기 위한
스페셜리스트.

기사(Knight)

덤벼.

과연 빠르기는
한데…

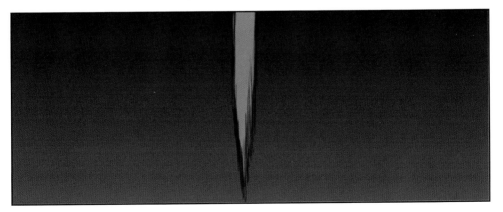

프레이식 일검
Pray式 一劍

무명 종베기
無名縱斬

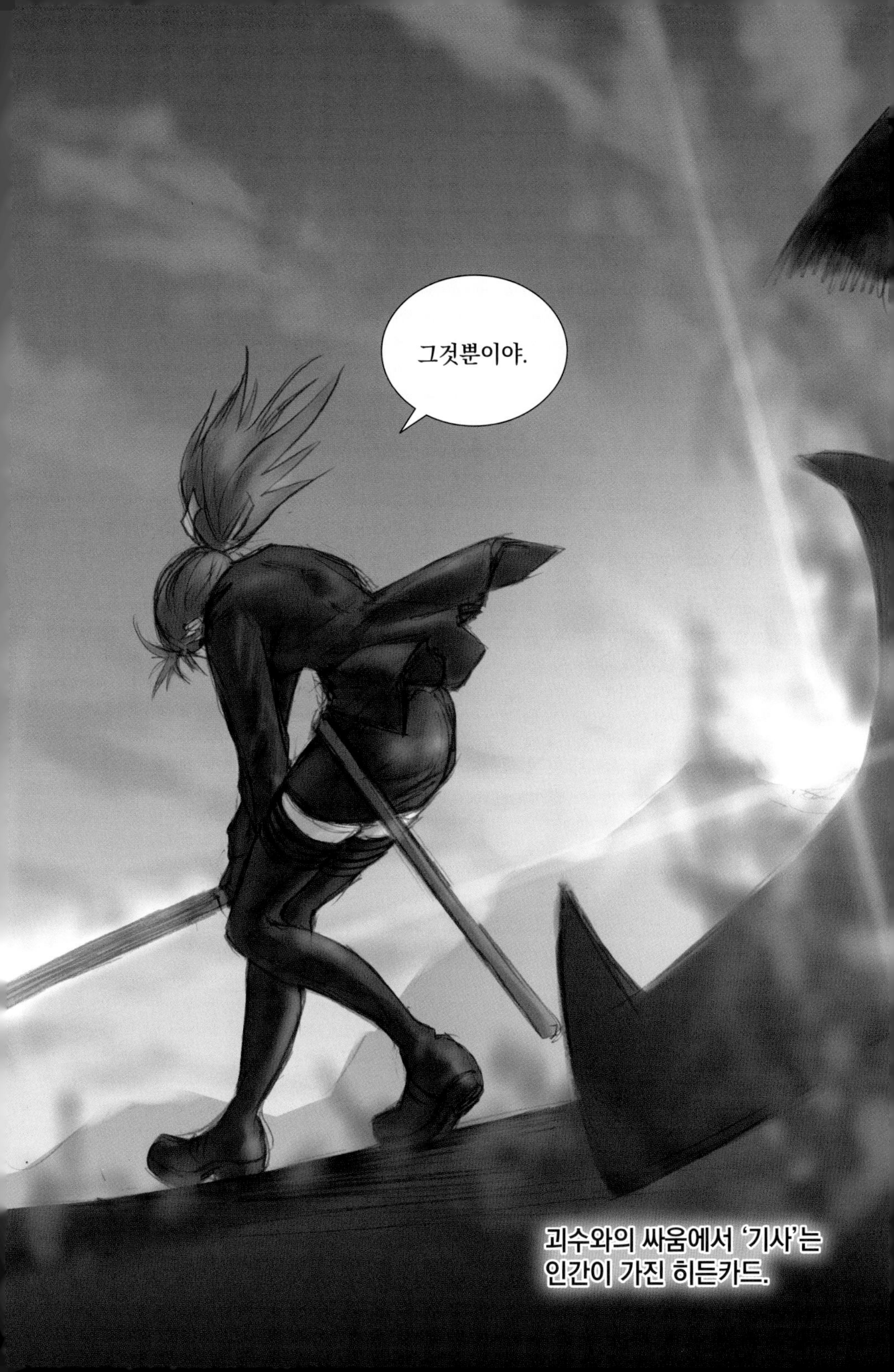
그것뿐이야.
괴수와의 싸움에서 '기사'는
인간이 가진 히든카드.

'히어로'다.

part 2

12지구의 여왕 둥지. 딱히 높은 등급의 괴수도 없고 여왕 등급도 낮지만

다일 계열답게 둥지만은 완벽해서 난공불락의 요새로 불리고 있죠.

연합도 공략을 포기하고 지표 아래 맨틀의 플랜트로 이어진 산란관과 에너지 공급관을 공격해 말려 죽이려 하고 있어요.

하지만

여왕의 방으로 이어진 직통 루트가 있다고 한다면…

기사님은 어떻게 하시겠습니까?

여왕의 둥지가 된
전 방공사령부의
비밀 물자 반입 루트.
블루링의 제2사령부
기습공격도 이 루트를
사용했다더군요.

물론
우리가 이 루트를
이용하면 여왕이 바로
폐쇄해 버리는 게
당연하겠지만

다행히 전날
AE의 대규모 폭격으로
둥지의 제어기능에
이상이 생겼어요.
시간을 번 거죠.

기능 회복까지
예상 소요시간은
앞으로 3시간.

자밀기관의 재밍
때문에 연락이 늦어져
지원군은 제시간에
못 와요.

할 수 있는 건
우리뿐입니다.

여왕까지의
직통루트.

기사님까지 있다면…
여왕을 벨 수 있어요.

그러니까…
내가 같이 가달라는
거지?

부탁드립니다.

싫은디.

아니 왜요!!
기사잖아!!!!

딱 '나만 믿고 따라와'
하고 멋지게 대사 처리할
타이밍이잖아!!!

기사단에 민원
넣어 버린다 너!!!!

매기!
날뛰지 마!!

기사님께
무슨 짓이야?!
야! 그쪽 팔 잡아!!

나쁘게 생각 마.

내 나름의 판단이니까.

괴수는 순조롭게 격퇴하고 있어.

제공권도 장악했고 마지막 남은 61플랜트도 제압에 성공.

곧 있을 작전으로 자밀기관만 잡으면 무인기만으로 희생 없이 전쟁을 끝낼 수 있어.

맨틀버스터도 지금처럼 계속 박아 넣으면 여왕 둥지도 곧 공략되겠지.

5개월이면 큰 피해 없이 이길 텐데 지금 퇴물 기사랑 부대 하나 돌입한들

나나 당신들이나 죽기밖에 더하겠어?

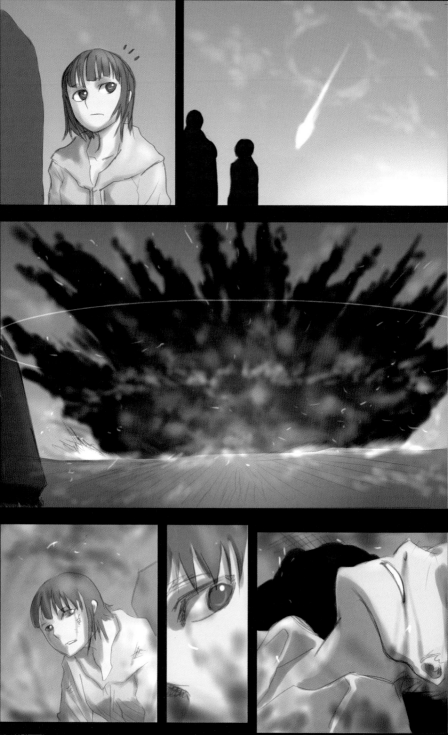

이곳에 대한
마음은...

모두
마찬가지일
거예요.

더 이상...

고향을 빼앗기고
싶지 않아요.

약간이라도
행성을 살릴 가능성이
남아 있다면

포기하고 싶지
않다고요.

작년에
연구부가 개발한
몬티아를 따서 딸에게
선물할 머리핀을
만들었어요.

남편은
엉망이라고
비웃었지만...

아이에게
우리가 개척한 이 땅에
자긍심을 가지라고
가르쳤죠.

그 가르침을

의미 없는
것으로 만들 수는
없잖아요.

그런 것도
엄마가 없다면
무슨 소용이야?

괜찮아요.

인간이라는 존재는 결국 자신을 붙들어 줄 무언가에 얽매여 살아간다.

이들에게는 그것이 이 땅이겠지.

루트 D.
'순례자의 길'

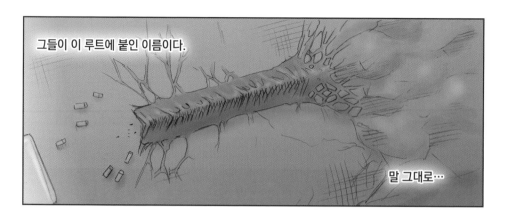

그들이 이 루트에 붙인 이름이다.

말 그대로…

그들은 마치
순례자 같다.

유대와 자긍심,
그리고 복수라는 열망을
숭배하며

등신불과 같이
스스로 불 속에 들어가는 걸
주저하지 않는다.

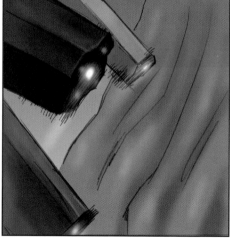

그리고 나는 믿음도 없이 기도하는 애매한 불신자의 마음을 가진 채

그들의 순례에 동참한다.

아무리 기회라 해도 그런 전멸 가능성이 큰 작전을 자기들 맘대로 진행해도 되는 겁니까?

주력이 다른 곳에 있다 해도 둥지에 있는 상위괴수는 어쩌려고…

벌써 기사 다섯이 죽고 나머지도 중상입니다. 기사단에서 문제를 제기할 텐데…

말리지는 못할망정 도대체 무슨 생각으로…

그 기사 하찮은 영웅심에 취해 있는 건 아닙니까?

그녀를 추천한 건 레오 당신이잖습니까!

마스터나이트인 당신이 말해서 보냈지만 현장과는 동떨어진 전술어드바이저가 둥지에 투입돼서 뭘 어쩌겠다고…

처음부터 그녀가 참전했다면 이 전쟁…

진작에 끝났을 겁니다.

이보세요! 레오!!

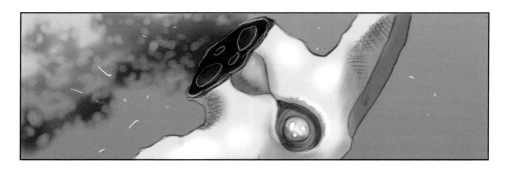

쿵

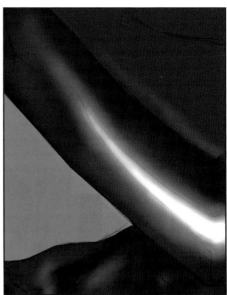

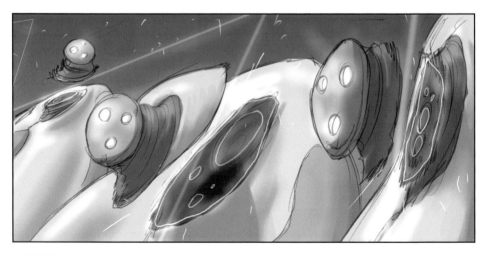

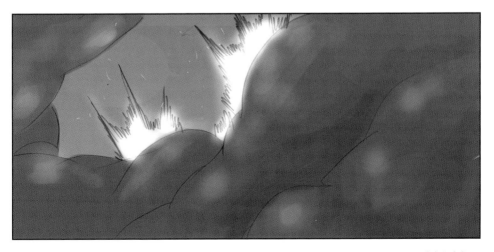

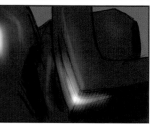

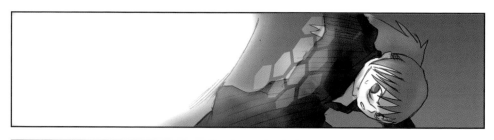

투 두 두 두

좌아아

억! 진짜
못 해먹겠네!

텅

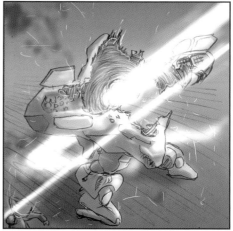

조금만 참으세요!
곧 치료를…

미안.

어깨는 둘째치고
적파(赤波)를 쓸 정도만
몸을 만들어 놨어도
어느 정도 싸울 수
있었을 텐데…

12시 방향
1001번 다섯 기
접근 중!!

2형과 거리를
벌려야 해!
뚫고 간다!!

뒤에서도
옵니다!!

제길
기사님 보호를
최우선으로 해!!!

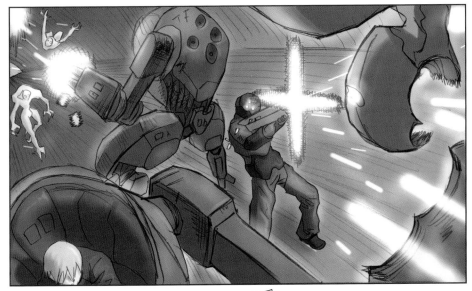

양산형은 우리도
충분히 막을 수 있어요!
몸을 추스르고 계세요!!

?!

쿠

직

모두 피…

기사님께
손대지 마!!

차

TF

으아아아아아!!!

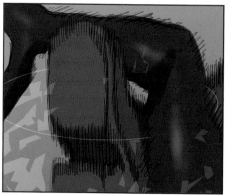

하아 하아

이렇게 괜찮은
여자를 놔두고
한눈팔면 못 쓰지.
안 그래?

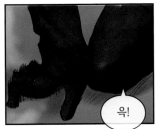

윽!

스쳤는데
갈비가 나갔어.

간이형 디펜시브
코팅으로는
이 정도가
한계인가…

기사님
괜찮으십니까?

전혀
안 괜찮아.
둘은?

둘 다
즉사입니다.

하지만
거의 도착했으니
기어 1기만으로
충분합니다.

그래…
단숨에 가자.

그녀는 동료의 죽음에 대한 슬픔을 삼키고
애써 담담하게 말했지만…

약한 체력 탓에 상위괴수보다
다수의 양산형에 취약한 내 특성상
이런 전투는 타인의 희생을 담보로 한다.

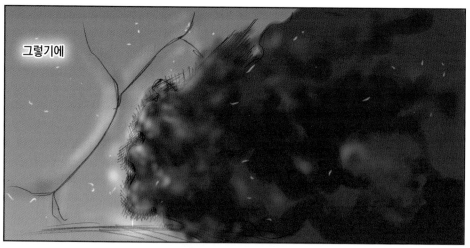

그렇기에

더더욱 뒤로 물러설 수가 없다.

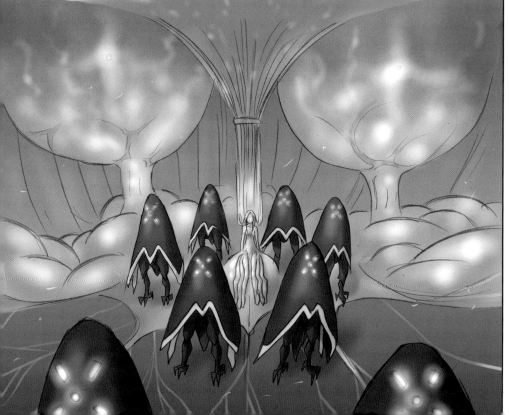

그런 눈으로 인간을 내려다 보지 마.

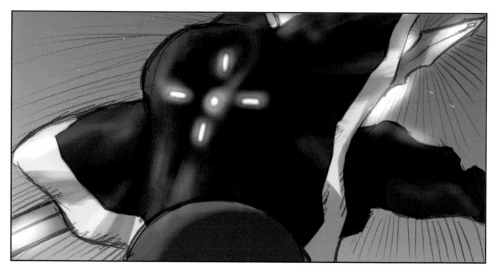

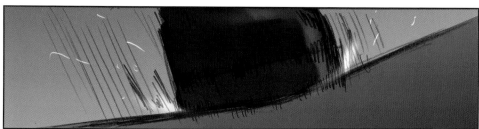

잃지 않기 위해 싸운다.

그럼에도

싸운다는 것의 본질은 항상
'잃는다'는 것을 전제로 한다.

영원히… 그것은 변하지 않는다.

맘에 안 들어.

죽음 직전까지
그런 무표정한 얼굴로
인간을 보는 거…

결국 그런 거야.
죽였으면

죽임당하는 거야.

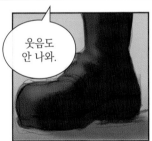

웃음도
안 나와.

키
링

행성 하나
먹어 치운 것치곤
시시한 결말이군.

뭐가
불사신이야…

다신 믿나 봐라.

430년 2월 4일.
다일 계열 퀸 D-38 다운.

다음날 여왕의 사망으로 제어가 약해진 둥지를 연합군이 재공격.

같은 날 둥지 기능 완전 정지.

사령부에서도
입을 못 다물던데요?

5형 1기,
7형 3기,
15형 8기…

도대체 어디가
과대평가입니까?
이렇게 할 수 있는
기사가 얼마나
있다고…

운이 좋았을
뿐이야.

아니…
타인의 희생 위로
쌓은 승리지.

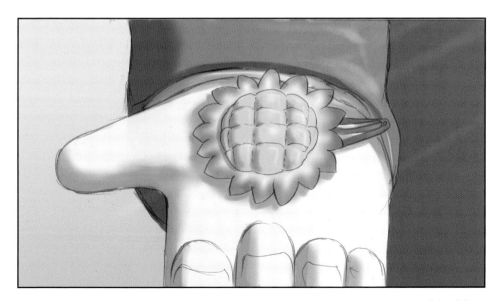

예쁘네.

아니…

아무것도 아니야.

뭐가요?

행성은 여왕괴수 침식의 여파로 행성 폐기 직전 등급인 행성 대피 권고 상태.
괴수 생산은 멈췄지만 아직 살아남은 괴수가 곳곳에 산재해 있다.

사람들은 여전히 이곳에서 행성을 개척하고 있다.

part 2. 사람이 사는 땅 |끝|

part 3

Knight Run

승전.

모두가 환희와 박수로 맞이해 준다.

그럼에도 난…

기뻐서가 아니라

억지로 웃을 수밖에 없다.

나의 눈에 들어오는 건 언제나
산 자의 희망이 아닌…

소중한 사람을 잃은 자의
아픔이니까.

이들을 외면할 수가 없다.

여전히
궁상맞군…

노튼 제독님…

지상엔 어떻게 내려오셨어요?

근무지를 무단 이탈한 우리 전술 어드바이저를 찾으러 오셨지.

그런데 묘지라니…

너도 참 칙칙한 분위기를 좋아하는구먼.

적어도 눈앞에서 죽은 사람들의 마지막 정도는

함께 해 줘야 하지 않을까 해서요.

그게 나쁠 건 없지만 넌 그 정도가 심각해.

그런가요…

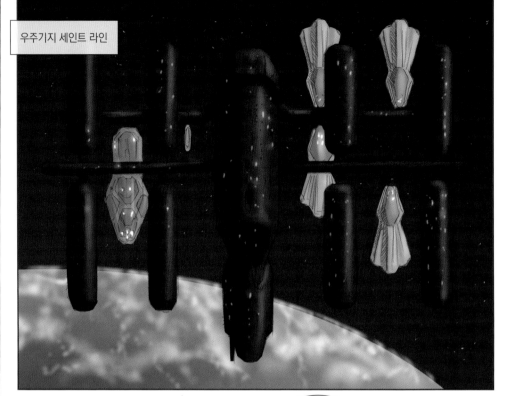

우주기지 세인트 라인

인공중력구 D블럭

쉬라고 말한 것 치곤 너무 대충인데 그 영감탱이…

죽어라 일하고 왔는데 패스만 몇 개 주고 개인실 하나 없다 이거지.

파견이라고 기사 취급도 안 해 주네. 애초에 대부분 내가 기사인 줄도 모르는 거 아냐?

절상, 찰과상, 골절은 그렇다 치고

오랜만에 움직여서 온몸에 근육통이…

나름 열심히
한다고 하는데
느는 건 상처와
무관심뿐이라니…

시집이라도
가야 하나…

저한테
오셔도
되는데.

정말
받아 줄…
응?

아무나
좋은 거예요?

레오.

기사…

그만둔다면서요.

뭐 이리
기적도 없이
튀어나오냐?

그래…
그만두려고.

15년에 걸친 총력전도
이제 끝이 보이고…
기술 부족으로 불가능이라
여겨졌던 게이트 재건도
성공이 거의 눈앞이니
앞으로 연합군의 이동과
방어 효율은 극적으로
높아질 거야.

괴수가 여기저기 뿌렸던
워프마커도 거의 없앴으니
이전과 같은 대규모
기습공격은 없겠지.

그리고 이번
로이드전 승리로
절대방어선이
구축되고 있어.

엄청난 기사 손실 때문에
상황이 제일 심각했던 북부도
중앙기사단에서 이번 기수
신인 기사들만 충원해 준다면
다시 잘 굴러갈 거야.

하지만…

그리고

몸이 많이
망가졌어.

허리는 수술도
더 못할 정도고
어깨도 많이 상했어.
무릎도 덜컥거리고.

재작년에 입자빔을
마구 날려대던 영식
'루시퍼'와 싸울 때
DC코트가 날아갔던 게
원인이겠지.

선천적으로
의체적합률도 낮아서
군데군데 바꾼다 해도
기사로 뛰는 건 불가능해.
피폭도 제법 당했고…

마이어 씨 혼자
살아남았죠. 아쉽게도
승부를 못 내고 녀석이
후퇴했지만…

내가 이긴 거거든?
걔가 도망간 거거든?

…대충
그렇다고 치죠.

어쨌든
닥터스톱이랄까…
더 이상 싸울 몸이
아니야.

핑계예요.
지금처럼 현장직
말고 내근직으로
일하면 되잖아요.

그리고 애초에
자기 몸 따위는
그렇게 신경쓰지도
않았으면서…

무엇보다…

정말 그만둘 수 있어요?

기사…

머릿속에 강박처럼 남아 있는 소망.

거기에 붙잡혀서 전쟁터를 떠나지 못했잖아요.

바라고 바라던… 사람이 죽지 않는 풍경.

저주에 걸린 듯 그 소망에 사로잡혀 벗어날 수 없던 것 아니었나요?

글쎄…

잘 모르겠어.

하지만 이제…

벗어나야지.

내가 곁에 있어 줘야 하는

사람이 있거든.

친구, 스승, 가족…
뭐라고 하나로 정의할 수 없는 사람이 있었다.

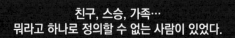

앤 일어나!!

머리 빗겨 줘
응? 앤…

오늘이잖아…
빨랑 일어나!

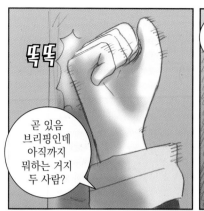

똑똑

곧 있음
브리핑인데
아직까지
뭐하는 거지
두 사람?

앤 씨.
들어갑니다.

끼익

프레이 씨,
앤 씨.
시간 됐어요.

어서 일어…

일어나!

일어나!

일어나!

일어나!

퍽

퍽

퍽

퍽

악! 일어났어!

악! 일어났어!

악! 일어났어!

악! 일어났다고!

뭐… 뭐뭐…
뭐하시는 겁니까
프레이 씨!!!!!!

헤헤…
그… 미안.

조금 열중한
나머지…

같이 나가는 건
오랜만이라
설레서 말이지!

싸우러
가는 거야. 소풍 가는
기분으로
말하지 마.

잘도 그런 소리가 나오네…
미안이란 단어의 의미를 안다면
사람을 이렇게 패진 않을 텐데.

미안.

왜?
나쁜 놈들
왕창 죽이잖아.
안 재밌어?

넌 말이야…
뭐 됐어. 장비는
잘 챙겨왔…
응?

그리고 보니 침낭이 하나 남던데…

또 과자냐.

아… 아니거든?

압수…

내 라이프게이지를 노린다면 앤이라도 용서 안 해!!

잠은 어떻게 자려고?

같이 자!

좁아! 인마!

끈질기네.

포기하면 편해 프레이!

저기… 친밀한 것도 좋지만 이제 리프트가 올라가니까 준비를…

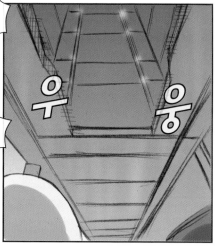

우

웅

지급된 코트는 가져왔지? 어서 입어.

이번 신형은 영 촉감이 안 좋아.

어라…

중소규모 전장이긴 하지만 상위괴수 '77형'도 확인됐다.

각오해라. 솔직히 너희같은 햇병아리를 투입할 만한 전장이 아니지만 그만큼 현재 인력이 부족하다는 뜻이다. 필수 실전 시간만 채우겠다는 생각은 버려. 죽음을 각오해야 할 거야.

너희가 입은 디펜시브코팅 코트도 기지방어용 소자를 최대로 넣어 맞췄으니 성능은 일반 기사용과 다를 바 없다.

전과 달리 AE군의 지원도 없을 것이다.

그래도 퇴역기사인 나와 대영식전 경험이 있는 베테랑 현역기사가 있으니 너무 절망은 말도록.

내 사제인 북부의 기사 레이미와 중앙의 람지.

싱글넘버 괴수 5형 정도는 상대할 수 있다.

잘 부탁해. 꼬마들.

목숨이 위태로울 땐 어설프게 폼 잡지 말고 그냥 기사 뒤에 숨어.

뭐…
너희 둘이라면
걱정 없겠지.

너희도
동료를 지켜다오.
유일하게 상위괴수와
싸워 이긴 전적이 있는
둘이니까 맡겨 보마.

그리고

네 자리로 가서
앉아 프레이.

시끄러워
대머리! 여기가
내 자리거든.

대머리 아니거든!
이마가 쪼끔
넓은 것뿐이거든!!

그리고 너도
이마 넓거든!!

흥분하지
마요.

붕신 여자는
대머리 없어.

하지만 쟤가
내 이마 가지고…

얌마 교관
갈구지 마.

울지 마요.
꼴사나우니까.

자자, 똑.

그럼 가슴
만지게 해 줘.

죽을래요?

역시
굉장하시네요.

두 사람은 이번 전투로 필수시간만 채우면 그 까다로운 심사 없이 바로 기사로 승급된다고 다들 그러던 걸요.

견습기사를 거치지 않고 기사가 되는 최초의 사례일 거라고 해요.

그게 뭐.

너 같은 거 하고 비교하지 말아 줄래?

앤 때문에 봐줬지만 그쪽에서 말 거는 것도 슬슬 귀찮다고.

야 인마!!

미안해 질. 대신 사과할게. 이 녀석 낯을 많이 가려서…

빡

아, 아뇨. 괜찮아요.

질

앤은 몰라도 프레이랑은 얽히지 마. 무슨 짓을 당할지 몰라.

소곤 소곤

그런 소리 마…

너무 까칠하게 굴지 마 프레이.

못 써.

필요 없단 말이야.

앤 이외엔…

… 나야 기쁘지만 …

그럼 안 돼.

영원히 함께
있을 수는 없어.
사람은 언젠가
헤어지는 법이야.

다른 사람을
사귀는 법도
배워야지.

뭐야 그게…

전투함은
현재 고도를
유지하라.

엄폐물이 많아
혹시라도 형(形) 이상의
괴수가 붙거나 내부에
침입했다간 바로 끝장이다.

오랜 전투로 사상자가 늘어나면서
기사의 수도 줄어들고

교육생마저 괴수와 싸우는 것이 일상화된
기사단 사상 최악의 총력전 시기.

전처럼
교육생이라고
보조해 주지
않는다.

너희는 이제
기사와 다를 바 없고
기사는 병사들의
영웅이 되어야 해.

삶의 무게를
등에 지고 싸워라.

기사단이
지향하는 영웅이란
이기는 자가 아닌,
지키는 자다.

살려라.

그리고
살아남아라.

오직 생을
추구하라.

모두에게
신의 가호가 함께하길.

Amen—

저 교회
안 다니는데요.

죽음이 아주 가까이 있던 그 시절

우리들은 그곳에 있었다.

가자! 앤!

내가 지켜 줄게!!

날 이끄는 그 손은 여리지만…

강해서…

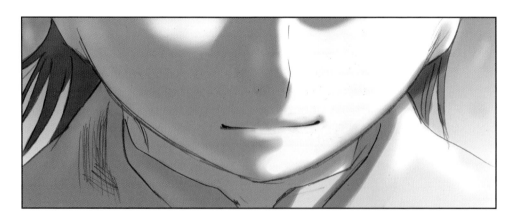

안심할 수 있었다.

part 4

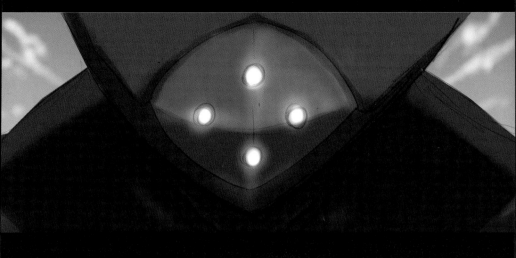

가동시기 15년의 네임드 괴수

팽 블레이드

갑작스러운 싱글넘버 상위괴수의 출현에 플랜트 탐색이 중지되고
많은 경험으로 노련한 전투 능력을 발휘하는 이 괴수 때문에
병력 또한 분단되면서 전선은 혼란을 맞이했다.

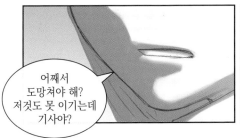

어째서
도망쳐야 해?
저것도 못 이기는데
기사야?

힘 조절이
문제인가?

검만
부러지지
않았어도…

교육생이라
보호해 주고
싶다는 건가?
유치하긴.

프레이!
어서!

알았어.

1001번…
아니… 빨라!!

600번대
입니다!!

5번 대괴수탄이나
중화기 꺼내!!

됐어. 프레이!!
길을 열어!!

내 칼을
가져가!!

필요 없어.

프레이식(式)

공파
空破

마이어식(式)

팔괘기공
八卦氣攻

푸와악

맨손으로?!

일반 탄도
안 먹히는
녀석들인데…

서둘러요!

먼저
포인트로 가세요!

전 C조를
구하러 갑니다.

하아

하아

앤…

앤…

동공 열렸잖아.

죽었어.

버리고 가.
짐만 돼.

앤 네 성격은
아는데…

시체까지
신경 쓸 여유는
없잖아.

……

빌어먹을…

왜 못 간다는 거야? 제자들이 D블럭에 갇혀 있다고!

2형이 나왔습니다!

다리도 무너지고 제공권도 빼앗겨서 이동 중에 격추 당한단 말입니다!!

제길… 어째서 10년간 생산된 적 없는 2형 타입 네임드가 이런 곳에…

정보부는 대체 뭐하는 거야?

챗! 기껏 대항할 만한 화력을 가지고 나오면 뭘 해?

최신형이고 자시고 자만심과 자신감도 구분 못 하는 초짜들만 타고 있는데!

그렇게 고도를 주의하라고 당부했거늘 상위괴수를 상대로 전적 쌓겠다고 저 지랄이지.

이쪽까지 밀린 건가? 이동해야겠어.

부상자들을 차에 실어 주세요. 감지당해도 람지 씨가 막고 있으니 괜찮아요.

파렛교를 통해 후퇴합니다. 지휘는 밀레나 상사가 맡아 주세요.

저는 만약을 위해 바이크로 10분 후 출발해 미끼가 됩니다. 다니아 교차로에서 합류하죠.

미안... 폐를 끼치는군. 내가 지켜 줘야 하는 건데...

이렇게 계속
무리하다간 부상자보다
앤이 먼저 죽게
생겼으니까.

타인의 목숨만을 신경 쓰는 나.

오직 나만을 신경 쓰는 프레이.

언제나 가치관은 서로 맞지 않았다.

하지만 나를 향한 호의가 고맙고 기뻤다는 것 또한
부인할 수 없는 사실이었다.

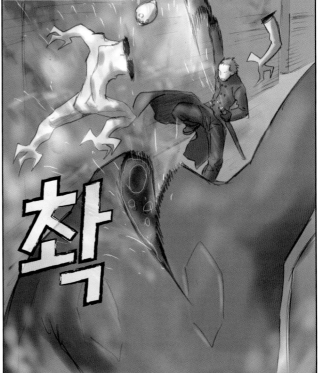

착

촤아_아

킹

퍼 엉

쳇! 노심출력도 좋고 기술도 좋아… 차라리 저랭크 영식이라 해야 맞겠군.

좌

아

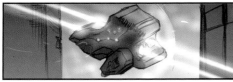

털썩

콰

쾅

릉

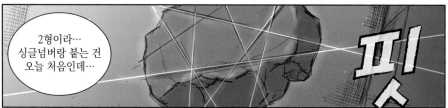

2형이라…
싱글넘버랑 붙는 건
오늘 처음인데…

핏
스

쿵

콰

쾅

그것도
네임드 유닛
팽 블레이드라…

쫄지 마.
별것 아냐.

맡기라더니…

뭐야…

죽어 버리면 안 되잖아…

우리가 죽으면 부상자들도 위험해질 거야.

네 고집으로 여기 온 이상

승리를 가져다 줘.

질 거라고 생각해?

5격…

아니… 둘이라면 3격이면 끝나.

요상한 기술을 쓰던데. 대책은?

검이 붙어 떨어지지 않는 느낌이 나더니 순간적으로 튕겨 나갔어. AB소드에도 통하는 걸 보니 에너지 작용은 아닌게 확실해.

고유 진동수랑 관련 있을지도.

힘으로 눌러 찍는
일격과 교차해 넣는
동시 공격이면
순식간에 끝날 거야.

좋아.
그럼 연습했던
C패턴으로 가자.

응.

난… 앤이 옆에
있어 준다면…

누구에게도
지지 않을 거야.

유웅

잘도 그런
오글거리는
소리를…

온다.

큐웅

내가 위.
첫 공격은 꼭
막을 테니 무조건
파고들어.

GO—

기교 따위에 너무 의지하면 저런 잡기술에 고생하지.

프레이식(式)의 기본은 단순하다.
상대의 공격도, 기술도, 방어마저도 날려 버릴 정도의 진격(眞擊)을 그저 계속 날릴 뿐.

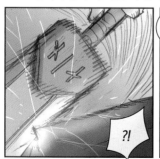

앤.

핑글

콰

직

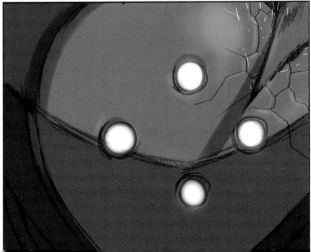

part 4. 두 사람의 싸움 |끝|

part 5

AB소드. 모든 에너지 방어를 무효화시키는 희귀한 AB소자로 만들어진 이 검은
상위괴수를 상대하기 위해 필요한 것이지만 결코 검 자체가 승리를 보장하는 것은 아니다.

상위괴수를 죽이기 위해 필요한 건 그 이상의 재능.

프레이,
튀자.

응. 찬성.

쿠

쿵

쿵

쿠쿵

쾅

이 검의 가능성을 승리라는 이름으로 실현하기 위해
축복받은 재능을 가진 자, 육체적인 한계를 넘은 자, 치유능력자,
돌연변이, 초상능력자, 모자이크베이비, 전투혈족 등
각 성계의 인재만을 거르고 걸러 기사단에 모았다.

그리고 그 안에서도 오직 검술만으로
독보적인 주목을 받은 기사 교육생이 있었다.

프레이.
나의 친구이자, 가족, 그리고 스승.

교육생 시절부터 고유의 검 이론을 확립하고
적청의 파동기를 구사한 그녀는
이후 역대 최강의 기사로 불리게 된다.

그러나 프레이를 부르는 이름은
그것만이 아니었다.

사상자를 내면서까지 우릴 구출하려고 오신 겁니까?

2형에게 이긴다 해도, 그쪽으로 600번대 괴수들이 몰려드는 걸 탐지했거든요. 빨리 데리고 나가지 않으면 체력소모로 죽을 수도 있다고 판단했습니다.

우리가 졌다면 델타팀이 2형에게 전멸당했을 텐데요.

두 사람이 이기리라 확신한 거죠.

델타팀은 플랜트 탐색 및 포대 제거 임무를 맡지 않았나요? 그 임무가 우선일 텐데요?

애들만 싸우게 둘 수 있겠습니까?

여긴 델타팀 1분대 하코이.

윙 대위님. 팔라드 돔 아래쪽에 플랜트 발견. 마킹 완료했습니다.

라져. 수고했다. 신속히 철수할 것.

봐요. 플랜트도 찾았잖아요. 문제 없죠?

그거야 결과론이죠.

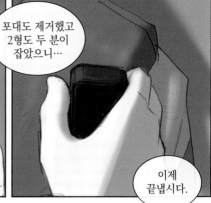

포대도 제거했고 2형도 두 분이 잡았으니…

이제 끝냅시다.

기사단 주관 작전이었는데 자밀기관 때문에 통신두절이니 여길 정리할 최고 책임자는 현재 아가씨 뿐입니다.

명령을.

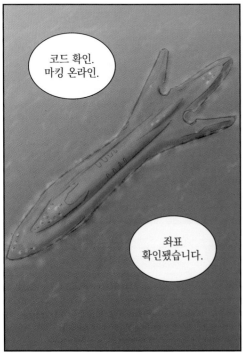

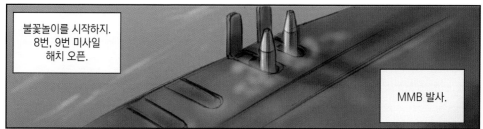

괴물 놈들,
지옥에나 가라.

건설 중인 제2 방위기지

......

모두를
지키진
못했지만…

어떻게든
살아서 오긴
했어요.

중요할 땐 오지도
못하는 쓸모없는 마빡.
괴수의 이름으로 하나 도움
안 되는 대머리에 모공박멸의
저주를 내려 주마!

캬오—!

프레이.
그거 당장
갖다 버려.

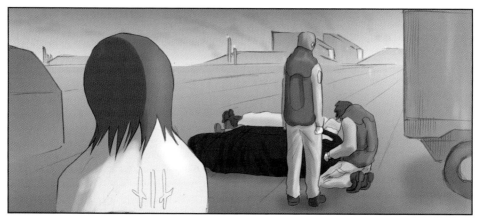

모두 다
구할 수는 없어.

하지만 더
구할 수도
있었어요.

넌 네 할일을
다했어. 부상자를
구하고 강대한 적과
싸워 이겼지.
그러니까…

자만하지 마세요.

마치 자기가
모두를 구하는 것이
당연한 것처럼
말하는군요.

전…

우리에게도
자존심이
있습니다.

우린 아직
성년도 안 된
당신에게 지켜지는
존재가 아니라

당신이 무사히
기사로 성장할 수
있도록 도울 사명이
있는 자들입니다.

그렇게 뛰어난
활약을 해놓고
우릴 연민의 눈으로
바라보는 건…

우리를 비참하게
만드는 거라고요.

…뭐야
그게…

사명감이고
뭐고…

죽으면
끝이잖아.

죽는 건…

슬프단
말이야.

자존심이고
사명감이고

죄다 무시하고
지켜낼 거야.

마음가짐은
좋구나 앤.

하지만
네 마음은 가끔
강박증처럼
느껴져.

남을 소중히
여기는 것과
자기 목숨을
소홀히 하는 것은
다른 거야.

다른 사람 역시
너를 소중하게
여기고 있다는 걸
기억해라.

지금까지 네가
버틴 건 저 녀석
덕분인지도 몰라.

하지만
그게 언제까지
갈까?

…네 말대로 죽으면 끝이야. 제자 장례식에 가고 싶진 않으니 적당히 하란 말이다.

난 네가 어깨에서 짐을 조금만 덜고 가면 좋겠다.

…교관은…!!

앤!!

그만해.

프레이.

미안해…

난 항상
보호받기만
해서…

내가
너무…

무력해서…

나를 보며 언제나
웃어 주던 얼굴과

내 머리를
쓰다듬어 주던 손.

그런 그녀를 올려다 보던 내가 있었다.

우주력
430년 4월

행성 발티아
AE 게이트 공사 지정항 타난

함장님
서두르셔야 합니다!
여긴 민간항이라 오래
정박할 수 없습니다.

이 아가씨한테
갈굼당하는 건
결국 저란
말입니다!

기다려 인마.
우리 파견직이랑
인사는 해야지.

네. 이젠 만나도
될 것 같아요.
그 녀석을 이 살의의
세계에 끌어들인 건
저니까…

헤헤… 앤.
그… 나도
와 버렸어.

녀석이랑
어디 시골에 카페라도
차려서 조용히
살까 봐요.

웃기고 있네. 전쟁터에서 먹을 게 없어 풀만 뜯어 먹고 지내던 놈이 만든 커피를 누가 마시냐?

갈게. 알키오네 인수는 맡긴다.

쳇 결국 이번 북부 연전(連戰)에 맞추지 못했군.

대전쟁시대의 블랙홀 엔진을 가진 몇 안 되는 워프함.

저것만 있으면 이런 복잡한 게이트 이동도 필요 없는데.

함장님은 그저 편하게 가고 싶으신 것뿐이죠?

어.

당연한 듯 대답하지 마요.

가 버렸네.

돌아가면…

프레이에겐
선물로 받은 몬티아나
삶아 줘야지.

그녀석, 식탐은
여전하겠지?

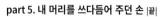

part 5. 내 머리를 쓰다듬어 주던 손 |끝|

part 6

'팽 블레이드'라면 이쪽 성계에선 제법 유명한 괴수였기에
우리 같은 교육생의 활약은 꽤 큰 화제가 되었다.
방송국의 취재도 있었다.

기사는 곧 영웅을 상징해야 했다.

긴 전쟁에 지친 사람들의 동요를 막고
정치와 경제 전반에 야기되는 여러 불안 요소를 감추기 위해
정부와 군은 매체를 적극 활용해 기사의 영웅성을 부각시키고자 했다.

AB소드를 사용하는 특수병을 굳이
중세의 말을 타는 병사, 혹은 관리적 지위를 이르는
'기사(knight)'라고 지칭한 것은
바로 그 단어가 가진 상징성이 필요해서였다.

사람들은 이들의 존재에 금새 매료되었다.
동화 속에서 기사는 언제나 '히어로'를 뜻했으니까.

전 우주에서 가장 잘 팔리는 잡지가 'Knights(기사들)'라는 사실은
사람들이 기사에게 가지는 관심이 얼마나 큰지를 보여 준다.

그리고 바로 그 잡지에 우리 이야기가 장장 초반부 3페이지에 걸쳐 실렸다.

몇몇 기사는 광고 모델, 홍보대사 등 다양한 분야에서 활동하며, 인기와 영향력도 대단하다.

기사 밴 애드윈의 음반은
약 5000만 장 이상이 판매되었고
DL 판매는 억대를 넘어섰다.

대표작은 전쟁의 슬픔과
삶의 희망을 노래해
온 우주를 울린 3집, 'For Hope'.

기사 뮨과 메이의 2인조 여성 듀엣 '나이트 플러스 나이트'는 평단의 비판에도 불구,
특유의 깜찍함으로 탄탄한 남성 지지층을 확보하면서 첫 라이브 콘서트를 성공리에 마치고
현재 정규 앨범 2집을 준비 중이다.

전 우주에 팬클럽을 거느릴 만큼 큰 인기를 얻으면서
둘 다 본업인 기사는 은퇴를 고려 중이라는 소문까지 돌고 있다.

물론 성공만 있는 것은 아니다.

사랑을 아는 남자 마일로—

지금 노래합니다—

중앙기사단의 교관 마일로는 무슨 생각이었는지 30대를 겨냥한 '사랑을 아는 남자 마일로'란 타이틀의 앨범을 냈으나 결과는 처참했다.

오프라인 판매량은 100장도 채 안 된다고…

내가… 내가 음치라니!!!

그 피해는 음반사 뿐만이 아니었다. 억지로 코러스에 참여했던 A양에게도 이 앨범은 트라우마로 남아 있다.

전 정말 하고 싶지 않았어요.

들어 보시면 아시겠지만 전 단지 돈이 좀 필요했을 뿐이에요.

앤! 밥 먹으러 가자!

아, 방금 제 이름 삐 처리 해 주세요. 꼭 요.

아린성 에어포트

아린으로의 귀환과…
기다리는 사람들.

강한 척하지만
역시 다들 애구나.

앤도 저런 거
하고 싶어?

아니.
하지 마.

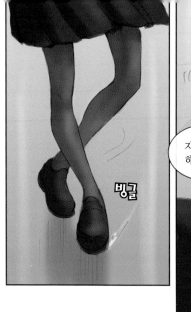

자~ 내가
해 줄게!!

허그~ 허그~

진짜 됐거든?

이번 전투 대기자였던
같은 반의 페이.

아마 그녀가 기다리는 사람은 친구 칼일 것이다.

가끔 있다.

전사 통지를 받았음에도
혹시나 하는 마음에 나와
기다리는 사람.

으랴~
으랴~

불가능을 알면서도
기대를 버리지 못하는 게
바로 사람의 심리인 것 같다.

여,
돌아왔구먼!!

뉴스 봤어!
대단하던데!!

중앙기사단은 군사적인 고도제한 때문에
높은 건물이 없는 촌구석에 있다.

어이 마일로!!!
애들 데리고
가게 오면 서비스
잘 해줄게~

얘들
미성년자거든!!

어이 애꾸선생.

앤도 살아
돌아왔구먼.

어때?
싸게 줄 테니
하나 먹고 가지.

생체 인식기
장애로 지금
결제 못 해요.
다음에 카드 가지고
와서 살게요.

쳇, 공짜로 줄게. 너희가 서성거려 준 덕에 지난 호 나이츠에서 인터뷰도 했다는 거 아니야.

흭

덕분에 요즘에 사람들이 많이 찾아와.

오오 싸고 맛있는 과일

공짜면야 감사히.

유형 1.
어렸을 때 빈곤했음

호오~ 그럼 자주 올 테니 수익의 20% 내놔 콧수염.

뭐 인마?

유형 2.
더러운 어른

맛없어. 확 망해라.

유형 3.
단순히 성격이 나쁨
(먹기는 다 먹음)

먼저 갈게.

흐음.

갈 때보다 수가 꽤 줄었구먼.

......

...그러게요.

돌아오지 않는 아이들.
중앙기사단은 학교의 형식을 취하지만
결국은 전투 집단이다.

학교처럼 교육을 제공하고
서로 우정을 나누지만,

그와 동시에
칼과 총을 다루며

괴물을 죽이는 방법을 교육받는다.

우주이민시대가 되고 전장이 성계 단위로 넓어지면서 성계를 시간지연 없이 오갈 수 있는 게이트의 효율적인 이용이야말로 곧 전략의 핵심이라 할 수 있지.

하지만 300년 전 괴수와의 첫 전쟁에서 워프 관련 기술이 거의 다 소실되어 버렸고 남은 건 함대를 동시에 워프시킬 수 있는 블랙홀 엔진형 전함과 소수의 게이트뿐이야.

현대전은 이걸 지키는 싸움이나 마찬가지. 현재 광속을 넘어서는 외우주 항행기술인 T드라이브가 있다고 해도 여전히 게이트에 비해 이동 시간이 제법 오래 걸리기 때문에 전략적 활용도가 훨씬 떨어져.

죽음에 무뎌지도록 하기 위함인지 자주 바뀌는 반.

그리고 잘 알지 못하는 친구의 죽음.

묘하게 현실감이 들지 않는다.

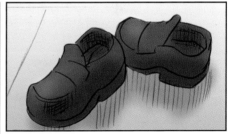

호아아암~

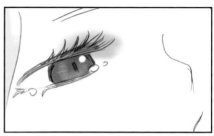

호이!

우득

켁!

일단
물어는 볼게.
왜?

…너
인마…

우하하하!!
그 표정 완전
웃겨 앤!!

심심해.
놀아 줘.

교관님! 반장이 프레이랑 또 싸우는데요.

…미…미안한데 구급차 좀 불러 줄래?

웬 구급차?

라이너 교관이 신경성 위염으로 쓰러졌대.

교관도 극한직업인가 봐.

가끔… 우울한 기분이 들 때는 늘 변함없는 프레이가 위안이 되기도 한다.

딴 놈이야 어찌 됐건 앤까지 기분이 안 좋아지니 영 맘에 안 들어.

앤은 성격도 이상해. 약한 놈들 몇 명 죽은 게 뭐 그리 대수라고.

그녀는… 남 따위는 신경쓰지 않는다.

…!!

그 말 취소해.

칼은… 약하지 않아.
죽은 게 대수롭지
않은 일도 아니고!

칼에게
사과해!!

칼?
이름도 기억 안 나는
약골 하나 죽은 걸로
나한테 시비 걸지 마.

!!!!!!!

너!!!!!!

언제나 프레이의 공격적인 태도와…
사과.

사과.

사과.

죽어라 사과.

이씨- 내가 왜
사과해야 하는데?
내가 먼저 손댄 거
아니다 뭐.

그래도 그러면
안 돼, 프레이.

친구를 잃고 힘들어하는 페이에게 위로의 말이라도 건네려 다시 들어갔다가
울고 있는 그녀를 보고 할 말을 찾지 못해 다시 나왔다.

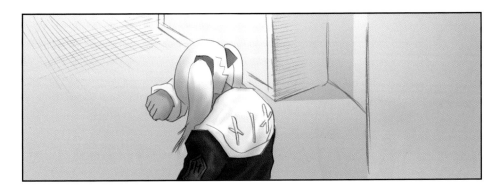

프레이, 그녀의 타인에 대한 배타적인 태도는 비정상적이지만
어쩌면 현명한 걸지도 모르겠다.
관계를 맺지 않으면 크게 상처받을 일도 없으니까.
알지도 못하는 타인의 죽음과 슬픔에도 너무 깊이 아파하는 나 역시 정상은 아닐 것이다.

저기…

우동 스페셜 정식 곱배기

제가 시킨 건
우동인데요.

많이 먹어요
앤 양.

그냥…
고마워서 그래요.

아…

어색한 공용어와 투린계 억양.
질의 어머니가 분명하다.

우와 오징어포를
이렇게 많이?
매번 어디서
가져오는 거야?

어머니가
여기 식당에서
일하세요.

질의 어머니는

한동안 내 손을
꼭 쥐고 계셨다.

조금이나마 마음이 편해진
기분이 들었다.

덕분에 우동은
불어 버렸지만.

질은 겨우 목숨을 구했지만, 당시 5번 괴수 특유의 신경 혼란물질이 체내에 퍼져
나노머신의 치료 한계를 벗어나는 심각한 부상을 입었다.

의사가
기사되는 건…
무리라네요.

위험한 일에서
손을 떼게 된데다
죽지 않았으니
그걸로 됐다고
생각했는데…

포기하지
않을 거예요.

기사…

"제 고향은 괴수 때문에 사라졌는데
우리 가족은 모두 기사단 덕분에 살았어요.
이제는 제가… 모두 지켜 줘야 해요."

교육생 중 유일하게 프레이에게 다가가려 했던
그녀는 그렇게 말했다.

답답하고 복잡한 심경이 쌓여간다.

퇴역기사인
교관들까지 뻔질나게
차출되는군.

거기다 D반 교육생들까지…

뭐 덕분에 금방 기사되겠네.

그놈의 재단 기부 때문에 적금 붓기도 빠듯했잖아. 기사 월급은 교육생 지원금에 비할 바가 아니라고 하던데.

그런 문제가 아니잖아.

인간은 살아남을 수 있을까?

될 대로 되라지.

죽던가 죽이던가 분명 둘 중에 하나겠지.

기왕이면 죽이는 쪽이 낫겠네.

아니…
다 죽어 버려도
나쁘지 않겠어.
아무도 앤과 나를
귀찮게 안 할 테니.

괴수는
귀찮게
안 하냐?

그런가?

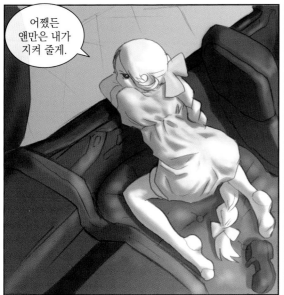

어쨌든
앤만은 내가
지켜 줄게.

나머진
죽더라도 상관없어.

그럼 그 나머지를
내가 지켜야겠군.
나쁘지 않은
장사인데?

바보.
내가 제일 손해야.

part 7

Knight Run

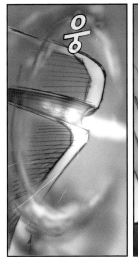

우웅

론, 가드.

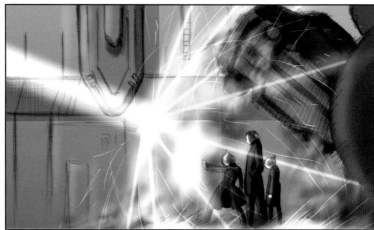

콰

아

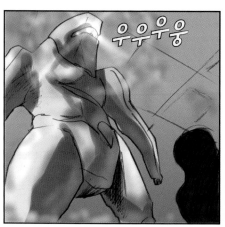

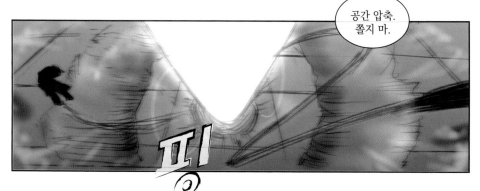

레온하르트 고검류(古劍流)

주광기
朱光技
홍염난무
紅炎亂武

가뿐하네.

우와 단장대리 폼잡는 거 봐, 론. 재수 없다.

PPPPP

그러게. 밥 떠먹여 줬더니 지가 잘나서 잡은 줄 아나 봐, 룬.

너희들 조용히 안 해? 북부 애들은 다 그렇게 싸가지가 없냐?

동부 기사는 다 오빠처럼 재수 없어?

아, 형.

어 해결. 붙여 준 애들도 있었고 금방 끝났지 뭐.

쿵

엥? 파티?

다니엘 단장대리.

뭐 이렇게
부려 먹어?

단장대리, 동시
출현했던 77형은
정리했습니다.

잘했어.
피해는?

견습인 닐이
죽었습니다만
적은 노심 훼손 없이
잡았습니다.

그리고
지금 드라이 님께
들으셨겠지만 발티아로
모셔오랍니다.

쿠우우우

AE에게 수송기
빌려 놨으니 바로
우주로 가시죠.

드디어 돌아오는구나.
가지라도 절여 놔야겠네.

뭐 일 마무리
하느라 며칠 걸리긴
할 거야. 그 요상한
요리 오랜만에
먹어 보겠네.

하고 싶은
말은 많은데
시간이 너무
부족하다.

토크데이가
20분도
안 남았어.

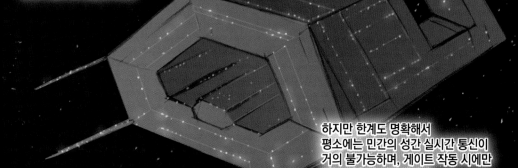

게이트라는 초공간 이동 수단으로
성간 이동이 가능한 시대.

하지만 한계도 명확해서
평소에는 민간의 성간 실시간 통신이
거의 불가능하며, 게이트 작동 시에만
정보 전송이 이루어진다.

그리고 이러한 통신이 가능한 시기는 일년에 한 번 정도.

이 일정 시기에는 모든 우주선의 성간 이동이 중지되고
각 성계는 게이트 기능을 통신으로 한정해 정치, 사회, 안보와 관련된
주요 정보들을 대규모로 공유하고 실시간으로 분석한다.

전 성계가 특이점을 공유함으로써 워프 통신이 실현되는 이 기간에는
게이트 근처에만 있다면 그 어떤 성계나 심지어 민간 시설이라 할지라도
서로 실시간 연락이 가능하다.

토크데이.

사람들은 언젠가부터 이 기간을 그렇게 불렀다.
토크데이 기간에는 게이트 근처의 행성과 시설의 통신 가능한 단말기들 앞에
성간 통신을 원하는 사람들의 긴 행렬이 이어지곤 한다.

멀고 먼 성계와 성계 사이에 떨어져 있는 가족, 친구, 연인 관계인 사람들은
모두 게이트 근처의 단말기 앞에서 모아놓은 이야기를 시작한다.

나 역시 잠시 볼 일이 있어 온 행성 발티아에서
아린으로 돌아가는 때를 기다리지 못하고
토크데이를 틈타 혹시나 하는 마음으로 그녀의 소식을 물어본다.

그런가…

아쉽네.

넌 여전히 플레이 생각뿐이네.

만날 것도 아니면서 계속 소식만 묻는 게 보기 안쓰러웠는데… 이젠 만날 결심을 한 거구나?

…응.

조금 부럽기도 하네.

누나 통화 언제 끝나?

천하의 앤의 관심을 독차지 하고 있잖아.

…그런가….

그런데 아까 본성 이야기… 아린 본성 방위군은 대부분 원군으로 파견돼서 제대로 된 병력도 없을 텐데…

태양풍도 심한 마당에 시스템을 갈아엎는 건 위험하지 않아?

태양풍으로 통신이 안 되는데 메인시스템마저 먹통일 때 괴수라도 침입하면…

걱정도 팔자야.

마더나이트도 걱정했지만 워프마커도 다 제거했고 성계 외부의 방위는 연합군이 인계했어.

행성 내부에 괴수가 있지 않는 한 문제 없을 거야.

다시는 대규모 침공이 없으리란 보장이 없는 만큼 지금이야말로 태세를 정비할 마지막 기회일지도 몰라.

이번 메인시스템의 전략예측 AI 'LOS'와 서브시스템의 업데이트로 아린의 방위시스템은 완벽에 가까워질 거야.

4개 기사단 모두 존속이 위태로울 정도로 손실이 크고 중앙도 대규모 파병으로 운영이 어려우니…

지금 하지 않으면 누구도 앞날을 장담할 수 없어.

그런데 이런 때까지 일 걱정이라니.

좀 차분히 밀린 이야기나 하고 싶었는데.

미안. 요즘 괴수 전술 관련 업무를 하다 보니... 직업병인가?

아... 연합군에 파견돼서 일한다고 그랬지?

응. 그보다...

그 녀석... 최근 봤을 땐 어땠어? 사람들과는 대화가 좀 되는 것 같아?

아니 여전해. 만난 지는 좀 됐지만 전에 봤을 땐 그대로였어.

열심히 들이대 봤는데 타인에게 전혀 살갑게 대하질 못해.

마치 주위에 벽을 두른 것 같아.

그나마 한두 마디는 나눴던 마일로 교관이 은퇴한 뒤엔 이제 거의 누구와도...

그녀에게 타인은 존재하지 않는 듯한 느낌...

밖에 나와도 우리 예전 기숙사가 있는 층의 화원에서 혼자 보내는 시간이 대부분이야.

평의회가 승인한 작전 행동 외에는 방에만 있어.

화원… 그렇군. 그곳에서…

그보다
오면 어디서
지낼 거야?

응?

기사단에서
방은 마련해 주겠지만
너 꽤 유명인사라 다들
귀찮게 굴걸? 중앙에서의
네 입지는 아직도
만만치 않아.

호텔이라도
잡아야지 뭐.

거기 호텔은
모래투성이에
형편 없지만.

그럼…

우리집에
오지 않을래?

응?

엄마에게 일을
관두라고 했거든.
코어템플에서 교육생들
죽어가는 모습 지켜보는
것도 힘드실 거라
생각해서…

기사단 남쪽 숲에
한적한 전원 주택을
하나 장만해서 우리 다
거기서 지내고 있어.

동생이 많아서
꽤나 시끄럽지만
방은 많아.

누나, 시간 됐어.
나도 통화해야
하거든.

꺼져. 통신비
있으면 다른 데서
하든가.

동생?
여러가지 의미로
화목해 보이는군.

응, 심심하다며
쫑알거리기에
데려왔더니 고향에 두고
온 여친 타령이네.
신경쓰지 마.

원래 동생이란
한번 봐 주면
기어오르는 생물이라
이렇게 대해야 해.

프레이의 연금이 풀리면
이주처를 알아볼 때까지
같이 묵어도 되니까
부담갖지 말고 와.

그럼 신세를
질까?

그래 꼭.
기다리고
있을게.

그럼 슬슬
준비해 볼까.

시간도 거의 다 됐고 네 동생 여친한테 저주받긴 싫거든.

통화 정도는 시켜 줘.

어디 가?

마이어 씨, 시간 됐습니다.

응.

내 은퇴 기념 파티라는데?

part 7. 은퇴 |끝|

part 8

아린 성계 자원소행성
타이라의 채굴 콜로니

또
거부당했어요.

태양풍 때문은
아니고?

아니요.
태양풍은 조금씩
약해지고 있었고 좀 전엔
확실히 연결 가능한
시점이었어요.

거부…
입니다.

분명 사전에
괴수에 의한 시스템
침입 방지 테스트라고
귀띔해 주긴
했는데…

그런게 왜
필요한거야?
괴수 상대로…

거기다 굳이
태양풍으로 함선 이동이
제한당한 지금 그런 걸
할 필요가 있나?

이동은 둘째치고
통신까지…

이건 뭐
본성하고 완전히
단절된 거잖아.

벌써
며칠 째야?

연이은 전투로
피곤해 죽겠는데
일부러 등신 같은
놈들에게 아부까지
하러 가야 하나.

다니엘.
거기 가서는
그런 소리
하지 마라.

장담은 못
하겠는데.

부탁이니 말 들어.
일단 우린 동부기사
단장대행이라고. 지위에
걸맞는 행동을 부탁하고
싶은 것뿐이야.

뭐야
이건…

애들 장난도 아니고
완전 홈파티 수준이잖아.
이런 데는 왜 온 거야?
테이블엔 술밖에 없고.

뭐 예상대로군.
딱 그 녀석 취향이야.
간단한 자리와 술.
끝.

그 녀석
인품 덕이지.

자리는 이런데
연합도 기사단도
꽤나 고위층이
모여 있으니
이상하네.

주인공이
저기 납시었군.

오랜만이네 앤. 드레스 차림은 처음이군.

레오도 있었네.

드라이. 그리고 다니엘까지.

요- 아줌마도 오랜만.

동부에서 여기까지 어쩐 일이야?

여러가지 일이 있어서 말이지. 초대장도 없이 와 버렸다.

떡

레오가 파트너로군. 많이 컸네. 이제 스무 살인가?

네. 오랜만이에요 드라이 씨.

뭐야 이젠 완전히 어른이 다 됐네.

처음 보지? 내 동생 다니엘. 인사해.

안녕. 그리고 귀찮으니 앞으로 말걸지 마.

그래. 앞으로 말걸지 ㅁ…

잰 없는 셈 치자.

다니엘도
여전하구나.
고생이네.

그 꼬맹이를
생각하면 너만
하겠냐마는.

앤… 사실
너에게도 용건이
있는데…

레오. 미안한데
파트너 좀
빌려도 될까?

…네.
그러세요.

삐진 얼굴
하지 마.
안 빼앗을
테니까.

누가 삐졌단
겁니까?!

형이 다 알지~ 귀여운 녀석.
얼라 주제에 나이들어 보이려고
머리는 뒤로 넘기고~

아줌마라고
하지 마.

아줌마
기다려 봐.

그…그런거
아니라고요.

나보다
나이 많잖아.
그보다…

이번 북부 파견
조건이 프레이의
연금 해제였지?

그 녀석도 같이
은퇴하는 건가?

그래. 같이
은퇴할 거야.
왜? 서운해?

물론 서운하지.
빚은 갚아 줘야
하니까.

그만두기 전에
박살내지 않으면 분이
풀리지 않을 것 같아.
내가 그때와 얼마나
다른지 보여 주겠어.

레온하르트가의?

저 녀석이 차기 동부
단장 후계자로 내정되었다는
그 천재 다니엘인가?

친선 시합이라니…
굳이 중앙까지 와서…

타 기사단을 향한
일종의 과시랄까…
자신이 단장감이라는 걸
몸소 보여주고 싶은
거겠지.

과연… 근데 상대는
누가 하…
…이런 운이 안 좋군.

하필이면…

와인 말고
콜라 없어?

없는데요.

다니엘은 진짜
여전하구나.

그러니까
그때 내가
상대한다니까.

아니 넌 너무 많이
배려하잖아. 그땐 철저히
자존심을 박살내는 게
좋을 것 같아서.

레온하르트가(家)
역대 최고의
초상능력과 신체 능력,
그리고 뛰어난 전투
감각으로 자부심만 컸지
별다른 고난 없이
성장해서 말이지.

기왕이면
굴욕적인 패배를
안겨 주고 싶었거든.
그 녀석… 몇 초만에
한 합으로 박살난 건
처음이었을 거야.

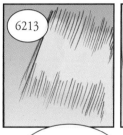

6213

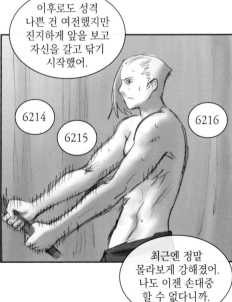

이후로도 성격
나쁜 건 여전했지만
진지하게 앞을 보고
자신을 갈고 닦기
시작했어.

6214

6215

6216

최근엔 정말
몰라보게 강해졌어.
나도 이젠 손대중
할 수 없다니까.

옷이
날개라더니.

네가 한 10년만
젊었어도 꼬시고
싶었을 텐데.

얄밉기는…
지금 후회 말고
10년 전에
꼬셨어야지.

무리지.
그러다간
그 꼬맹이한테
베였을걸.

거기다 그땐
흙먼지 때문에
서로 꼴이 말도
아니었잖아.

보급이 끊겨서
징징거리며 두더쥐를
구워 먹는 모습을 보면
그런 로맨틱한 감정은
들지 않지.

미안해—

시끄러. 넌 그때
해탈한 듯한 표정으로
직접 기른 쑥을 입에
쑤셔 넣고 있었거든.

나중에 네가 채식주의자가 됐다는 얘길 들었을 땐 네가 종교계로 귀의할 거라 굳게 믿고 있었어.

번뇌를 지우고 자연과 하나되어 삶의 도를 이룹시다.

이런 디테일한 상상은 집어치워.

예 교주님.

그런데 이곳에 온 진짜 이유는 뭐야?

북부 쪽 인사들에게 지원을 받아 볼까 해서. 동부도 상황이 심각하거든.

원래 정식 기사가 150명도 안되는 곳인데 그렇게 죽어 나가니 버틸 수가 있어야지.

거기다 중앙에서 새로운 기사가 충원 된다고 해도 그 녀석들을 키울만한 베테랑이 부족하니까…

그래서 이렇게 몸소 구걸하러 왔어.

단장대행이란 벼슬까지 몸에 걸치고 말이지.

실적이나 능력이나 실제 단장의 자질은 충분하다고 생각하는데?

난 뒤에서 받쳐줄 거야.

말씀은 고맙지만 난 그런 취미 없어. 다니엘에게 시킬 거야. 하고 싶은 놈이 하는 게 맞지.

여전히 동생 사랑이 각별하네.

1대1로 영식과 싸울 수 있는 건 기사단장을 제외하면 마스터나이트 중에서도 손가락으로 꼽을 정도야.

모두 그에 맞는 지위와 명성을 가지고 있지.

유일한 예외가 너와 프레이.

예전부터 차기 중앙기사단장은 너일 거라고 확신했는데...

현역 시절의 너는 너무 엄청나서... 모두에게 경외의 대상이었어.

나 역시도 ...

프레이가 벌인 일들만 없었어도 중앙을 이끄는 건 네가 됐을 거야.

최소한 지금과는 다른 길을 걸었을 텐데...

......

언제 적 이야기야?

최악의 전투라 불리는 그 지옥 같은 벨치스전. 그걸 기억하는 사람들에게 넌 살아있는 전설이잖아.

중앙 쪽 연합군의 3분의 1이 박살나고 행성 5개와 자원소행성 15개가 함락됐던
최악의 참사 중 하나였다. 당시 중앙기사단의 절반 이상이 희생당했고
영웅이라 불리던 기사들이 몰살당하는 참극이 벌어졌다.

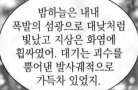

밤하늘은 내내
폭발의 섬광으로 대낮처럼
빛났고 지상은 화염에
휩싸였어. 대기는 괴수를
뿜어낸 발사궤적으로
가득차 있었지.

그 광경에는
지옥이란 말보다
더 어울리는 말을
찾을 수가 없었어.

S랭크로 분류된 엘리스 계열의 쌍둥이 여왕 E-99과 E-101.
둘의 연계로 레벨 7영역까지 세력을 확장한 플랜트가
천문학적인 숫자의 괴수들을 하늘로 뿜어대는 장면은 비현실적일 정도였다.

처음에는
'한 달 안에 기사단이
전멸하겠구나'라는
생각이 절로 들더군.

잠시 후 노튼급
전투함 4기가 1기의
괴수에게 3초 만에
박살나는 것을 봤어.

한 달이 아니라
일주일로 기간을
줄였어. 그 2기가
내뿜는 섬광은 너무
압도적이었거든.

무서운 속도로 침식해 거대한 세력을 만든 여왕,
엄청난 수의 상위괴수, 그리고 무엇보다
최상위 전투 유닛 '영식' 또한 지금까지와는
차원이 달랐다.

유례가 없던
쌍둥이 영식이자…
역사상 몇 기밖에
없던 최강, 최악의
SS랭크 영식.

크로스아이
알파

크로스아이
베타

기사단장도 마스터나이트도 그것들에게는 아무런 의미가 없었다.
두 가지 색상의 섬광과 함께 세 자릿수의 기사를 참살했던 둘의 존재는
지금까지도 기사단이 힘겨운 싸움을 하게 만든 원인이 되었다.

1,000기가 넘는
상위괴수에 절반은
싱글넘버인 무리를 이끌고
서 있던 그 모습에…
난 더 이상 해법이 없다고
생각했어.

솔직히 기사단이
전부 나서도
무리라고 생각했지.

중얼중얼

죽여 버릴
거야.

죽여 버릴
거야.

죽여 버릴
거야.

죽여 버릴
거야.

중얼중얼

죽여 버릴
거야.

죽여 버릴
거야.

죽여 버릴
거야.

죽여 버릴 거야.

죽여 버릴 거야.

죽여 버릴 거야.

그만 좀 해. 시끄러워.

하지만 저 두 놈을 박살내자는 건 찬성이야.

죽여 버릴 거야. 저 망할 십자눈깔들.

그런데 바로 그때 몇 달을 고생했는지 독이 잔뜩 오른 두 사람이 한치의 망설임도 없이 그 무리에 뛰어들던 모습이 지금도 생생해.

그 직후에 벌어진 싸움이 벨치스전을 거의 신화의 영역으로 끌어올렸다고.

그건… 프레이가 옆에 있었기 때문에 가능했던 일이야.

뭐 그 녀석은 예외 중에서도 예외인 괴물이고.

들어 봤자 쑥스럽기만 한 옛날 무용담은 관두고…

이런 얘기나 하러 부른 건 아니잖아. 용건은?

미안. 이야기가 길었군.

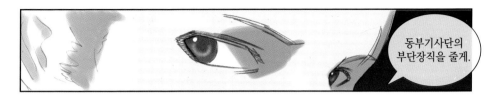

동부기사단의
부단장직을 줄게.

동부로 오지
않을래?

응?

현역이 힘들면
자문위원회
대표라도 좋아.

동부와 기사들을
이끌어 줄 사람이
필요해.

앤 네가 다니엘과 함께 동부를 이끌어 줬으면 해.

프레이식 검술을 동부의 정식 커리큘럼에 포함시켜도 돼.

악명 높은 프레이의 검술이라 다들 배척하는데다 누구나 익힐 수 없다는 인식이 있지만…

네가 오랜 시간 이론화시키고 다듬은 그 형식을 난 높게 평가해. 분명 동부의 전력 강화에 큰 도움이 될 거야.

난…

프레이가 걱정이라면 물론 같이 와도 좋아.

그 녀석 연금 기간이 끝나면 중앙도 골치 아플 테니까 동부에서 관리한다고 하면 인계 받을 수 있을 거야.

네가 단속만 잘해 준다면…

아니.

프레이는
싸움에서 손을
떼게 할 거야.

이젠 같이
있어 주려고.
둘이서만.

그래?
역시나인가…

이런…
차여 버렸네.

전에 발티아에서 네가 괴수 행동패턴에 관한 세미나를 할 때 잠깐 봤어.

마더나이트를 모시는 자일가의 장녀지?

오해받을 소리 하지 마. 네 약혼자한테 혼나.

'나는 당신밖에 없어요'라는 느낌으로 너만 바라보고 있던데.

순수한 아가씨잖아. 그런 타입은 쉽게 상처 받는다고.

그럴까… 서로 가문을 짊어지고 있는 입장이야. 그렇게 약한 사람은 아닐 거야.

무엇보다 난…

응?

아니…
아무것도
아니야.

레오가
기다리겠다.
들어가자.

싱겁긴.

내가
그렇지 뭐.

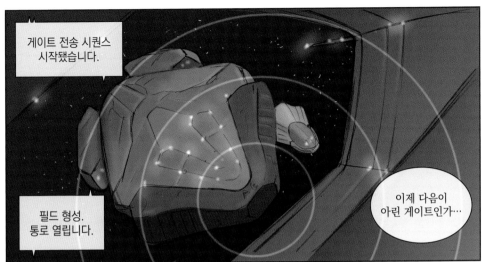

게이트 전송 시퀀스
시작됐습니다.

필드 형성.
통로 열립니다.

이제 다음이
아린 게이트인가…

이 딱딱한 의자하고도
이제 안녕이군.
도착하자마자 파티부터
시작하자고.

하지만 좀
이상한데요.

뭐가?

특이점은 열렸지만
통로의 필드 고정기에
적지 않은 노이즈가
감지됩니다.

이 함의 실드로
보충할 순 있긴 한데
조금 불안정해요.

뭐지? 좀 불안한걸.
이미 이동 시퀀스라
멈출 수도 없잖아.

어차피 현 단계에서는 기다리는 수밖에 없습니다.

그런데 그보다도…

브릿지에 이렇게 자기 물건 어질러 놓으시면 안 됩니다. 과월호 나이츠를 이렇게 잔뜩…

아니 할 일도 없는데 심심하잖아. 공용책장에 있는 거라곤 저 책밖에 없다고.

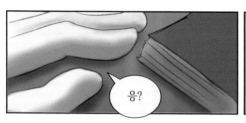

응?

호오- 꽤 오래된 거잖아?

Knights 9

벨치스전의 영웅들이라… 지금은 다 단장이니 의원이니 대단한 사람들이네…

단지 앤 씨와 프레이 씨만 명성에 걸맞는 삶을 살지 못하고 있는 게 좀 씁쓸합니다.

이제부터라도 이 전쟁의 굴레에서 벗어난다니 됐잖아.

망가질 대로 망가진 몸, 둘이 카페나 차려 소꿉놀이 하겠다니 요양도 할 겸 뭐 나쁘지 않겠지.

웬 카페?

그런 게 있어.

save the world ?

part 8. 과거의 영웅 | 끝

part 9

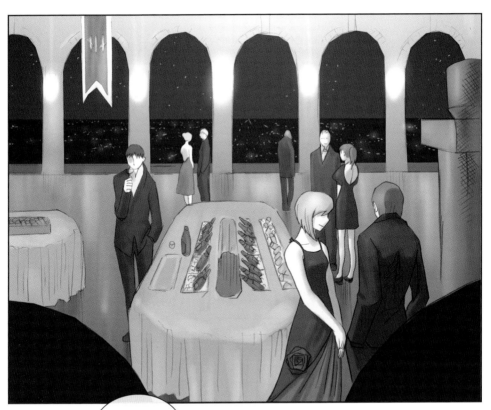

AE 로마니아
함대의 프림슨.

연합군
남부사령관을
맡았던 파인만.

잘난 놈들
많네.

동부에는
잘 오지도 않으면서
겨우 기사 은퇴 파티에
몸소 납신 건가.

PPP기관의
설립자라고 해도
그것도 곧 정리한다던데…
퇴물기사 하나한테 무슨
볼일이 있다는 거야?

존경받을
가치가 있는
사람이니까.

퍽이나.

과거의
영광일
뿐이잖아.

아? 자기가
뒷꽁무니 졸졸
따라다니는 여자
험담하니 기분
나쁜가?

됐어. 너 같이
사람 깔보는 게 취미인
사람과 말싸움해 봤자
시간 낭비일
뿐이니까.

뭐야?… 과연
그 잘난 입으로
마스터나이트가 된
모양이군.

내가 곧 그 아줌마도 너도 박살 내서 여기 있는 바보들에게 얼마나 자신들이 형편없는 사람에게 휘둘리고 있었는지 알게 해 주지.

손 치워.

싫은데?

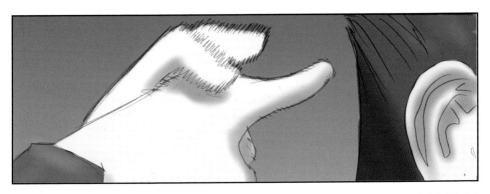

뭐야?

의외로 반응이 좋은데?

그래 파티는 역시 이래야지.

열기가 공간에 고착되어 있어? 초상능력자인가?

저거 가서 말려라.

네 아버님.

이런 데서 힘을 쓸 생각인가? 드라이 씨 동생치곤 형편없군.

그리고 쪽팔릴 텐데? 동부의 단장대행이 나한테 깨지면.

뭐야 이건…
재미있어 보이는 게
또 나왔…

꼭!

빡

아프잖아.

그거 정말
진심으로
다행이네!!!

무슨
일이야?

미안. 뭔지는
몰라도 이놈
잘못이겠지. 대신
사과할게.

왜 무조건
내 잘못이래?
내가 먼저 손댄 거
아니거든!

너도 빌어.

쟤 잘못
맞아요.

저 새끼가…

그건 그렇고
와 있을 줄 몰랐네.
미처 못 봤는데 저거
어떻게 말린 거야?

토르 박사.

글쎄.
아이는 평화의
상징이거든.

기사 정도의 인간이
싸우면 주위에 사상자가
생길지도 모르는데
생각도 없이 싸움을
벌이려 하다니…

그러게.
어쨌든 와 줘서
기쁘네.

일단 좀
소란스러워졌으니
잠시 자리를
피하자.

아래 난간에
발티아 성방장관이 있다.
침 뱉어서 맞추면
뎌달러 줄래?

하지 마.
확 떨어뜨린다.

A-10,
인사해라.
아빠의 돈줄…
아니 그…

스폰서다.

안녕하세요
돈줄 님.

이상한 거
가르치지 마.

딸이 있는 줄
몰랐네.
너무 귀엽다.

안녕.
이름이 에이…
뭐라고 했지?

다행히
아빠 안 닮고
엄마 닮았나 봐~

A-10입니다.

?!

....인형?

역시 그런 건가?

그래. A시리즈의 최신작. A-10이다.

A시리즈? 완성형에 이르지 못하고 종결됐다고 들었는데?...

네 지원 덕분에 10번으로 최종 완성형이 나왔어.

대상위괴수용 인형시리즈. A프로젝트.

이 사이즈에선 불가능하다 여겼던 노심 탑재도 초소형화 기술로 성공했고, 2형 이상의 실드도 전개 가능해.

초고강도 보디에 대량의 고압축 디펜시브 소자를 내장하고 처리할 수 있어 지금까지 인간형에서 실현하지 못했던 최강의 공격력과 방어력을 겸비한 인형이 완성됐지.

아마도 기사와 함대를 제외하면 전 우주에서 유일하게 상위괴수를 상대할 수 있는 존재일 거야.

이 작은 아이가 노심형이라고?

그래. 네 역할이 컸어.

전에 논의했던 내상위괴수 계획에서 이어진 거지. 올려 준 보고서를 아직 못 봤나 보군.

네가 PPP를 세워 계획한 NHD 전투체계.

상위괴수와의 싸움은 물론이고 적의 자밀기관을 통한 강력한 재밍 상황에서도 스스로 사고하고 싸우는 인간형 자율전투체계.

네가 그토록 바라던 인명 손실 없는 클린워를 향한 첫걸음이다.

과연… 놀랍군.

…

…마이어 씨의 워플랜 덕분에 제가 태어났다고 들었습니다.

어…어머니 같은 분이라고… 그래서… 저… 저기…

혹시 제가 살아있는 아이가 아니라… 대하기 힘드신…가요?

……

아니 그렇지 않아. 내가 속상하게 했나 보네.

단지 이렇게 귀여운 아가씨가 싸운다고 해서 좀 놀랐을 뿐이야.

사과할게 A-10.

삼성을 가진
아이구나.

감정은 때로는
거추장스럽게 느껴질지
모르지만 덕분에 서로
관계를 맺을 수 있지.

머릿속 임무나
프로그램이 아니라
마음으로 사람들을
지켜 주렴.

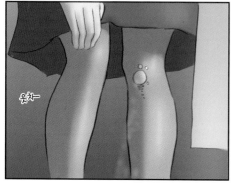

웃차—

이게 네가 저 괴짜를 끌어들여 추진 중인 클린워 플랜의 DOLL 프로젝트인가?

그래. 전투는 물론 자원 탐색 및 채취, 설비 생산, 군사작전 수립까지 해낼 수 있는 완전 자립 자율형 시스템.

군사비 지원 없이도 벌처럼 목적을 위해 움직이는 완전한 독립 시스템이지.

네 플랜은 읽었어. 인간의 감정과 도덕성을 지닌 인격형 시스템으로 가치를 판단하고 여론과 사회적 파장까지 고려하는 무인전투 프로젝트…

'기계들의 사회'

그걸 읽었을 땐 무슨 강박증 환자가 쓴 줄 알았어.

인간의 목숨에 이상하리만큼 집착하는 게 꼭 잘못이라는 건 아니지만…

확실히…

넌 좀 심해. 전쟁은 인간이 하는 거라고.

그런 소린
인간끼리
싸울 때나
하라고 해.

과연
그럴까?

목숨을 건
투쟁을 통해
인간은 삶을 붙잡을
힘을 얻었어.

'괴수'라는
'죽음'에 맞닿게 된
덕분에 인류가
통합되었잖아?

아이러니하게도
인간끼리의 전쟁이
이 정도까지 줄어든 건
괴수 덕분이지.

징그러울 정도로
싫어하는 거
아니었어?
괴수를.

그래.
구역질이 날
정도로 싫어.

그렇기에 더더욱…
증오의 감정으로
싸워야 하지.

무감정의
시스템으로가
아니라.

그보다 의외로 조용하군 다니엘. 인형이 방해해서 길길이 날뛸 줄 알았는데…

아니…

'힘'을 어느 정도 사용했는데도 깨끗하게 상쇄했어 저 꼬마.

의외로 쓸만해 저거.

동부도 발을 들여 보고 싶은데.

그런데 본의 아니게 이런 어처구니없는 해프닝으로 널 축하하는 자리가 엉망이 됐네. 미안.

됐네. 오랜만에 볼 만한 얼굴들은 다 봤어.

파렐리우스, 가즈, 튜더.

발티아에 정박해 있었나?

총 10기 중 3기만이 무사히 북부를 나서는군.

이제야 겨우 지옥같은 연전(連戰)이 끝났어.

승리라지만 동부나 북부나 폐허 속에서 약간의 안식을 얻은 게 다인가?

그래도 괴수 역시 우리만큼 크게 당했으니 향후 10년은 안심할 수 있겠지.

그래. 이제부터는…

인간들의 시대다.

그럼 우리도
가 볼게 앤.

아줌마 안녕.
완전 폐품 되기 전에
꼭 한판 붙자고.

중앙에 돌아가면
연락해. 한 번 더
찾아갈게.

잘 가라
레온하르트
형제.

몇 년째
약혼자 못 만났지?
아린 가면 안부 전해
줄게. 가끔씩 얼굴도
좀 비춰 주라고.

…그래.

어휴 등신.

취미도 별나지.
저런 게 어디가
좋다는 거야?

아니 난…

형이 걱정돼서 그래.
저런 타입은 연애에
절망적이라고.

…확실히…

많이 컸네.
그런 것도 걱정해
주고. 철들었냐?

윽 소변 보고
손도 안 씻는 주제에
내 머리에 손대지 마.

가시는 거예요?

가야지.

…이걸로 끝인가요?

또… 볼 수 있을 거야…

멈칫

이 파티의 파트너…

……아마 제가 당신에게 할 수 있는 마지막 역할이겠죠.

저…저기…
드라이… 난
이번 약혼…
벼, 별로…

…

어…억지로
하는 거 아니니까…

그래… 확실히
해둔 것 없이 너무
그 녀석을 기다리게만
했지…

슬슬 마음을
고쳐먹어야지.
오랜 친구인 것도
나쁘지 않아.

각자의 사정, 그리고 각자의 길.

하지만……

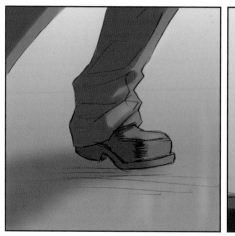

뭐지?

착

긴급 안내방송
드립니다.

AE의 경보 발동으로
아린행 여객편 이용이
중단됩니다.

아린행 이용
고객님께서는 잠시
대기해 주시기 바랍니다.

다시 한번
말씀드립니다.

AE의 경보 발동으로
아린행 여객편 이용이
중단됩니다.

아린행 이용
고객님께서는 잠시
대기해 주시기 바랍니다.

각자의 이야기는 하나의 파도에 의해 변화한다.

앤 마이어
기사님이시죠?

연합합동사령부
직속 보안 5팀의
뉴먼입니다.

사령관 님이 급히
뵙기를 요청하십니다.
동행해 주실 수
있으십니까?

part 9. 전우, 인형, 제자, 그리고… 끝

2권에 계속